Traduit de l'anglais par Anne Krief

ISBN : 2-07-051105-7
Titre original : *Anne Frank*
Publié pour la première fois en Grande-Bretagne par Hutchinson,
Random House Children's Books, Londres, en 2005
© Josephine Poole 2005, pour le texte
© Angela Barrett 2005, pour les illustrations
© Gallimard Jeunesse 2005, pour la traduction française

© Getty Images, Hulton Archive, pour la signature d'Anne Frank

Page 7 : extrait du *Journal d'Anne Frank*, texte établi par Otto H. Frank et Mirjam Pressler
© Anne Frank-Fonds, Bâle, Suisse, 1991, 2001
© Calmann-Lévy, Paris, 1992, 2001, pour la traduction française
par Philippe Noble et Isabelle Rosselin-Bobulesco

Numéro d'édition : 131893
Loi n° 49-956 du 16 juillet 1949 sur les publications destinées à la jeunesse
Dépôt légal : août 2005

Imprimé en Malaisie

Anne Frank

Josephine Poole
Illustré par Angela Barrett

GALLIMARD JEUNESSE

Je nous vois tous les huit dans l'Annexe comme si nous étions un morceau de ciel bleu entouré de gros nuages noirs, si noirs. Sur le cercle bien délimité où nous nous tenons, nous sommes encore en sécurité, mais les nuages avancent toujours plus près, et l'anneau nous séparant du danger qui s'approche ne cesse de se resserrer. Maintenant, le danger et l'obscurité sont tellement imminents que, ne sachant où nous réfugier, nous nous cognons les uns aux autres. Nous regardons tous en bas où les gens se bagarrent, nous regardons tous en haut où c'est calme et beau, et entre-temps, notre cercle est isolé par la masse sombre qui ne nous pousse ni en bas, ni en haut, mais se tient devant nous, mur impénétrable, qui s'apprête à nous détruire mais ne le peut pas encore. Il ne me reste plus qu'à crier et à supplier : « Oh anneau, anneau, élargis-toi et ouvre-toi pour nous ! »

Journal d'Anne Frank : lundi soir, 8 novembre 1943

L'histoire d'Anne Frank commence comme celle d'une petite fille normale, qui pourrait être votre voisine de classe. Elle avait de grands yeux expressifs et des cheveux bruns bouclés. Elle était gaie et populaire, toujours entourée d'une foule d'amies.

La plupart du temps, Anne se sentait très heureuse. Mais il lui arrivait d'avoir peur. Et ce n'était pas sans raison : Adolf Hitler, qui dirigeait l'Allemagne à l'époque, s'était juré de se débarrasser des Juifs.

Anne Frank était juive allemande.

~

Anne est née à Francfort le 12 juin 1929. Dès le début, elle eut envie de s'exprimer. Elle criait beaucoup ! Quand sa jeune sœur Margot jetait un œil dans le berceau, elle ne pouvait s'empêcher de rire. La petite Anne avait des cheveux noirs et des oreilles de lutin.

La famille d'Anne avait de la chance. Ils avaient de l'argent ; son père avait un travail. Pour la plupart des Allemands à l'époque, la vie était très difficile.

L'Allemagne, à laquelle on reprochait la Première Guerre mondiale, était obligée de payer des sommes colossales en compensation des graves dommages. C'était une sanction très lourde. Dix ans après la fin de la guerre, l'Allemagne était un pays ruiné.

Il y avait un nombre considérable de chômeurs. Bien des gens ne mangeaient pas à leur faim. Et tout le monde avait en mémoire la richesse et la puissance de ce pays qui comptait parmi les plus grands du monde. De sorte que les Allemands ne tardèrent pas à éprouver une colère et une honte sans nom. Il leur fallait trouver un coupable, et c'est alors que les choses commencèrent à changer d'une façon très inquiétante pour les Juifs.

Il y avait un homme qui s'appelait Hitler — un petit bonhomme très raide avec une moustache. Il parlait beaucoup et faisait des tas de promesses. Il attirait des foules immenses. Les gens n'avaient pas de travail, pas d'espoir. Il était normal qu'ils l'acclament lorsqu'il leur promettait que l'Allemagne serait de nouveau une nation riche et puissante !

Hitler détestait les Juifs, et peu lui importait les innombrables mensonges qu'il pouvait proférer à leur sujet. Qui était responsable des maux de l'Allemagne ? Hitler connaissait la réponse. Il accusa les Juifs d'occuper les meilleurs emplois, de voler le pain des travailleurs. Et ce n'était pas bien du tout, car les Allemands n'étaient pas n'importe qui — la plus belle race du monde !

Les gens furent de plus en plus nombreux à venir l'écouter, et à voter pour son parti nazi. Au début, la menace n'existait pratiquement pas, ce n'était guère plus qu'une petite étincelle. Mais l'étincelle n'a pas tardé à se transformer en flamme, et la flamme en un gigantesque incendie qui allait embraser toute l'Europe.

Il y avait toutes sortes de manières de faire peur aux Juifs et de leur faire sentir qu'ils étaient indésirables, quel que soit leur âge.

À l'école, les élèves commencèrent à remarquer ceux de leurs petits camarades qui étaient juifs, se moquant d'eux et les tourmentant méchamment. C'était très éprouvant pour ces enfants juifs d'être malmenés et insultés par ces garçons et ces filles qui avaient été leurs amis.

Ils furent bientôt obligés d'aller s'asseoir à l'écart dans la classe.

Les choses étaient bien pires dans le monde des adultes. Les gens n'adressaient plus la parole à leurs voisins juifs. Les magasins appartenant à des Juifs furent saccagés. Eux-mêmes furent pris à partie dans les rues, parfois passés à tabac par de jeunes hommes de main que Hitler avait réunis en sections d'assaut. S'ils faisaient mine de se défendre, ils étaient raflés et chassés.

Tout d'abord, les Juifs furent sidérés par une telle haine. Puis ils eurent très peur. Ils furent nombreux à quitter l'Allemagne, et M. Frank s'inquiéta pour les siens. Il trouva du travail aux Pays-Bas, ainsi qu'un appartement assez bon marché à Amsterdam.

Anne resta chez sa grand-mère pendant le déménagement. Elle rejoignit sa famille le jour des huit ans de Margot. Quelle surprise ! La petite Anne juchée telle une petite fée sur les cadeaux de Margot !

Il y avait un jardin là où habitaient les Frank. Tous les enfants de l'immeuble y jouaient lorsqu'il faisait beau, s'entraînaient à faire le poirier, se cachaient dans les buissons, faisaient du patin à roulettes et sautaient à la corde sur le trottoir. Lorsqu'ils avaient envie qu'un de leurs amis descende, ils ne frappaient pas à la porte ni ne sonnaient. Ils sifflaient un petit air à eux – comme Anne ne savait pas siffler, elle chantait à la place.

Un matin d'hiver, elle se rendit au bureau de son père où elle rencontra son assistante, qui s'appelait Miep. Miep aida Anne à ôter sa petite veste en fourrure blanche et lui donna un verre de lait. Elle lui apprit à se servir de la machine à écrire. Anne était exactement le genre de petite fille intelligente que Miep aurait bien aimé avoir !

Miep ne pouvait savoir qu'un jour elle risquerait sa vie pour les Frank, mais elle aima tout de suite Anne.

Anne et Margot allaient dans des écoles différentes. Ce qui était une bonne chose, car Anne n'était pas sage en classe – rien à voir avec sa sœur si studieuse ! Son grand plaisir était de raconter des blagues et de faire des grimaces, faisant rire tout le monde, y compris ses professeurs.

Leurs amies aimaient beaucoup venir chez elles, car Mme Frank était une excellente pâtissière. Mais quand M. Frank était de la partie, c'était lui la vedette ! Il avait toujours quelque bonne histoire à raconter, ou un jeu qu'il venait d'inventer. Tous les enfants l'adoraient.

Mais personne ne pouvait oublier les manœuvres haineuses de Hitler. À cette époque, de nombreux Juifs allemands s'étaient réfugiés à Amsterdam, et M. et Mme Frank écoutaient avec angoisse les sombres récits qu'ils faisaient : le harcèlement perpétuel, et les camps où l'on emprisonnait les gens sans raison et où on les obligeait à travailler pour les Allemands.

La puissante armée de Hitler était
en marche. La France et l'Angleterre
déclarèrent la guerre, mais les troupes
allemandes continuaient leur progression.
Bientôt, les Hollandais assistèrent,
impuissants, à l'entrée des soldats allemands
dans Amsterdam.

Une fois de plus, les Juifs furent
impitoyablement persécutés, et les Hollandais
comprirent vite qu'il était dangereux
de les soutenir.

Tout Juif âgé de plus de six ans était obligé
de porter une grande étoile jaune, avec le mot
Jood écrit dessus. On pouvait même désormais
interdire aux petits enfants l'accès à certains
lieux publics tels que les parcs, les cinémas
et les piscines.

Anne adorait le cinéma. Dorénavant,
elle n'avait plus le droit d'y aller. Elle devait
se contenter de sa collection de photos
et de cartes postales de célébrités, punaisées
au mur. Au moins, personne ne viendrait
lui demander de les enlever !

Il était trop tard pour trouver refuge dans un
autre pays, où les choses seraient peut-être pires.

M. Frank travaillait dans un vieux bâtiment au bord du canal. En haut, sur l'arrière, certaines pièces étaient vides. Petit à petit, avec moult précautions, dans le plus grand secret, il apporta des meubles et des provisions dans cette annexe, et installa des toilettes et un évier. Si les Allemands l'avaient découvert ainsi que les courageux Hollandais qui l'aidèrent, le châtiment aurait été terrible.

Mais tout se passa bien. Il était prêt en cas de danger. Il n'eut pas longtemps à attendre.

Margot avait seize ans. Un jour de l'été 1942, une convocation arriva par la poste lui ordonnant de partir au service du travail obligatoire. Ce qui signifiait travailler pour les Allemands. Sa famille ne la reverrait probablement jamais.

Il fallait qu'ils disparaissent, et vite. Anne et Margot réunirent tout ce qu'elles estimaient indispensable. Le cœur battant et les mains tremblantes, Anne bourra pêle-mêle sa sacoche de tous ses petits trésors : des livres de classe, des lettres, un peigne et des bigoudis, mais surtout le journal que ses parents lui avaient offert pour son dernier anniversaire.

Le lendemain matin, à la première heure, elle enfila, les uns sur les autres, plusieurs tricots de corps et des culottes, deux paires de bas, une robe, une jupe, une veste, un imperméable, des chaussures d'hiver, mit un bonnet et une écharpe. C'était la seule façon d'emporter des vêtements : tout Juif avec une valise était suspect.

Ils quittèrent l'appartement en laissant les lits défaits et de la vaisselle sale dans l'évier, ainsi qu'un bout de papier avec une fausse adresse afin d'induire les voisins en erreur. Anne dut faire ses adieux à son cher petit chat, Moortje. Elle pleura amèrement — se reverraient-ils un jour ?

Miep les attendait dans le bureau de M. Frank. Très vite et en silence, ils la suivirent dans un long couloir, montèrent un escalier de bois, franchirent une porte peinte en gris. Derrière cette porte, se trouvait l'Annexe secrète.

Anne n'en croyait pas ses yeux. Son père avait tout organisé, pensé à tout, et il n'en avait jamais rien dit ! Mais, quel fouillis ! Des valises et des cartons, des tas et des piles – Mme Frank et Margot se laissèrent tomber sur les lits à cette vue, exténuées par la peur et l'excitation. Alors Anne et son père se mirent au travail et tout fut rangé.

Dès cet instant, jour après jour, semaine après semaine, ils durent rester cachés. Pendant que le bâtiment était occupé, ils devaient faire le moins de bruit possible dans l'Annexe – ils ne pouvaient même pas ouvrir un robinet ou tirer la chasse d'eau. Ils risquaient à tout instant d'être surpris et dénoncés à la police. Comme ils attendaient avec impatience les visites de Miep après le départ des ouvriers ! Elle était toujours de bonne humeur, leur apportait des nouvelles de l'extérieur, des journaux et des livres pour passer le temps, et de petites courses.

Être obligé de se taire toute la journée, voilà qui était parfaitement insupportable pour quelqu'un comme Anne.

Le carillon de l'église voisine la rassurait. Il sonnait tous les quarts d'heure, lui rappelant qu'il y avait encore un autre monde à l'extérieur, un monde où les enfants allaient à l'école et jouaient tous ensemble, et surtout où ils n'avaient pas peur d'être vus ou entendus.

Un autre couple vint s'installer avec leur fils, Peter. À présent, ils étaient sept à se cacher dans l'Annexe exiguë – bientôt huit. Il était donc normal qu'ils soient tous exaspérés les uns par les autres !

Anne était la plus jeune et souffrait plus que quiconque. Elle était intelligente et pleine d'imagination, nerveuse et sensible et, de toute manière, grandir n'aurait pas été chose facile pour elle. Elle avait l'impression qu'on lui reprochait tout ce qui allait de travers, tandis que Margot semblait à l'abri des critiques. Elle aimait son père par-dessus tout ; mais il lui arrivait, à lui aussi, de lui faire des réflexions, et cela lui était insupportable. Elle pleurait souvent dans son lit la nuit.

Elle avait terriblement besoin de quelqu'un à qui se confier, quelqu'un qui la comprendrait. Ce ne pouvait être ni Margot ni Peter, qui était un enfant paresseux et gâté – il lui déplut tout de suite. Alors elle se tourna vers son journal, ses lettres à sa « chère Kitty », une petite fille qu'elle avait connue longtemps avant. Elle lui confia ses pensées les plus intimes, parce qu'elle savait que Kitty ne les lirait jamais ; elle se montra donc d'une franchise absolue. Le petit livre était le plus secret de tous ses secrets.

Elle y décrivit sa vie dans l'Annexe, les disputes et les drames. Elle raconta son amour de la nature, représentée par un simple carré de ciel et la cime d'un marronnier qu'elle apercevait par la lucarne du grenier. Elle raconta ses peurs, ses peurs paniques.

Et, en grandissant, ses sentiments pour Peter changèrent. Elle commença à le comprendre. À mesure qu'ils s'éprenaient l'un de l'autre, elle écrivait sur l'amour et l'espoir.

Une fois le petit livre rempli de la première à la dernière page, Miep lui apporta du papier pour qu'elle puisse continuer à écrire.

Chaque soir, tout le monde descendait dans l'ancien bureau de M. Frank pour écouter la radio. De temps en temps, Anne soulevait le rideau et risquait un regard par la fenêtre. C'était étrange de regarder les gens comme ça dans la rue ; elle avait l'impression d'être invisible, revêtue d'une cape magique comme dans les contes de fées. Ils avaient tous l'air si pressés, si inquiets, et leurs vêtements étaient si miteux. Mais Anne aussi était habillée comme un épouvantail, et elle n'y pouvait pas grand-chose !

L'Allemagne était en train de perdre la guerre. À la nuit tombée, de gros bombardiers passaient au-dessus de leurs têtes pour aller détruire les villes allemandes. Tout le ciel vibrait de leur grondement menaçant. Si l'Annexe était bombardée, tous ses occupants mourraient.

Mais, à cette époque, Anne était — presque — amoureuse de Peter. Elle était heureuse d'aller s'asseoir à côté de lui dans le grenier et de sentir son bras rassurant autour d'elle. Ils parlaient de ce qu'ils feraient après la guerre — ou parfois restaient sans rien dire, tandis qu'un autre jour s'écoulait et que la lumière baissait peu à peu dans le ciel. C'était un amour aussi doux, et aussi fragile, que les fleurs du marronnier que l'on apercevait par la fenêtre.

Il est fort possible, alors que la guerre était
sur le point de finir, que les gens de l'Annexe
ne se montraient plus tout à fait aussi prudents
qu'au début. Car quelqu'un remarqua quelque chose
et les dénonça.

Quelqu'un réclama la rançon que les Allemands
offraient pour chaque Juif arrêté.

Et le cauchemar commença.

D'abord le fracas de la porte qu'on défonçait.
Le bruit des bottes dans l'escalier – des hommes
brutaux en uniforme, armés de pistolets. Ils étaient
pris au piège – aucun endroit où fuir, aucun endroit
où se cacher…

Et, tout à coup, l'espace, la lumière, l'air libre –
le choc pour ceux qui avaient vécu enfermés
pendant plus de deux ans.

Le 4 août 1944, les huit réfugiés furent
emmenés. L'Annexe fut investie et mise à sac.

Lorsque Miep y monta, ce funeste soir,
elle trouva les lieux dévastés. Le journal d'Anne
était éparpillé aux quatre coins de la chambre.
Miep ramassa toutes les pages et les cacha
dans un tiroir, dans le fol espoir que la famille
reviendrait.

Mais M. Frank fut le seul à revenir après la guerre.
Il avait été séparé de sa femme et de ses filles.
Il savait que sa femme était morte. Il priait pour que
de bonnes nouvelles lui parviennent d'Anne et de Margot.

Malheureusement, elles étaient mortes du typhus dans
un camp de concentration allemand. Lorsqu'il apprit
la nouvelle, il se rendit dans son bureau et s'assit à sa table.
Il se sentait désespérément seul. Il avait tout perdu.

Mais Miep se souvint du journal. Elle le retrouva,
et le remit à M. Frank.

— C'est pour vous, lui dit-elle, de la part de votre fille,
Anne.

Anne Frank n'était qu'une très jeune fille, et sa vie,
si courte, était terminée.

Mais son histoire ne faisait que commencer.

Que devint le journal d'Anne après la guerre ?

Encouragé par un certain nombre d'amis, Otto Frank décida de publier le journal de sa fille, et 1 500 exemplaires de la première édition, intitulée *L'Annexe secrète*, parurent aux Pays-Bas en juin 1947, chez Contact, à Amsterdam. En 1950, la première traduction du journal parut en allemand, puis en anglais en 1952, en Grande-Bretagne et aux États-Unis. Une pièce écrite d'après le *Journal d'Anne Frank* fut jouée pour la première fois en 1955, et en 1959 le premier film tiré du même texte fut tourné. En 1960, la maison dans laquelle Anne s'était cachée fut transformée en musée ; l'original du journal y est exposé. La Maison d'Anne Frank accueille chaque année près d'un million de visiteurs. Elle se trouve au centre d'Amsterdam, Prinsengracht 267.

Pour plus de renseignements :
Maison d'Anne Frank
P.O. Box 730
1000 AS Amsterdam
Pays-Bas

Téléphone : +31 (0)20 5567100
Site Internet : www.annefrank.org

Le *Journal d'Anne Frank* est l'un des livres les plus lus au monde. Il s'en est déjà vendu plus de vingt-cinq millions d'exemplaires et il a été traduit en plus de soixante langues.

CHRONOLOGIE :

1918
11 novembre L'Allemagne signe l'armistice à Compiègne, mettant fin à la Première Guerre mondiale.
1920
Avril Le parti ouvrier allemand (fondé le 5 janvier 1919) devient le Parti ouvrier allemand national-socialiste (NSDAP). « Nazi » est l'abréviation du mot allemand *Nationalsozialismus*.
1921
29 juillet Adolf Hitler est élu Führer du parti nazi (avec 543 voix en sa faveur et une contre).
1925
12 mai Otto Frank épouse Edith Holländer à Aix-la-Chapelle (Aachen), en Allemagne.
1926
16 février Naissance de leur fille aînée, Margot Betty, à Francfort-sur-le-Main, en Allemagne.
1929
12 juin Naissance d'Annelies Marie (Anne).
1930
14 septembre Le Parti nazi devient le deuxième plus grand parti représenté au parlement allemand après avoir obtenu six millions de voix aux élections.
1932
31 juillet Les nazis obtiennent 37,3% des voix aux élections.
1933
Les Jeunesses hitlériennes et la Ligue des jeunes filles allemandes sont reconnues organisations officielles de la jeunesse pour les filles et les garçons entre dix et dix-huit ans.
30 janvier Hitler est nommé chancelier d'Allemagne.
Février La liberté d'expression est supprimée par les nazis.
Mars Construction de Dachau, le plus grand camp de concentration pour les prisonniers politiques.
Avril La Gestapo (police secrète) est fondée. Les nazis déclarent le boycott des commerces tenus par les Juifs ainsi que l'interdiction pour eux d'exercer la médecine et le droit. Une loi excluant les non-aryens chasse les Juifs du gouvernement et de l'enseignement.
10 mai Les livres écrits par les Juifs et des ennemis politiques de l'État nazi sont brûlés dans toute l'Allemagne.
14 juillet Hitler interdit tous les partis politiques à l'exception du Parti nazi.
Été Les Frank décident de quitter l'Allemagne ; leurs filles restent chez leur grand-mère à Aix-la-Chapelle, et Otto Frank part seul aux Pays-Bas.
Décembre Edith et Margot se rendent aux Pays-Bas.

1934
Février Anne rejoint le reste de la famille aux Pays-Bas.
2 août Hitler occupe les fonctions de président et de chancelier et devient « Führer et chancelier du Reich », abolissant la fonction de président.
1936
7 mars Les Allemands occupent la Rhénanie.
1938
12 mars Les Allemands envahissent l'Autriche.
9-10 novembre Kristallnacht (Nuit de cristal) : les commerces des Juifs et les synagogues sont pillés et détruits en Allemagne et en Autriche par des bandes de nazis.
1939
15 mars L'Allemagne occupe la Tchécoslovaquie.
1er septembre L'Allemagne envahit la Pologne.
3 septembre L'Angleterre et la France déclarent la guerre à l'Allemagne nazie.
1940
10 mai L'Allemagne envahit les Pays-Bas.
1941
25 février Grève à Amsterdam contre les brutalités nazies envers les Juifs.
4 juin La liberté de mouvement est réduite pour les Juifs des Pays-Bas.
22 juin L'Allemagne envahit l'URSS (opération Barbarossa).
16 juillet Miep, l'assistante d'Otto Frank, épouse Jan Gies, travailleur social et membre de la résistance hollandaise.
11 décembre L'Allemagne déclare la guerre aux États-Unis.
1942
9 janvier Les enfants juifs de Hollande n'ont plus le droit d'aller à l'école publique ni au lycée.
1er juin Tous les Juifs âgés de plus de six ans sont obligés de porter une étoile jaune.
12 juin Ses parents offrent à Anne un journal pour son treizième anniversaire.
14 juin Dernière fête d'anniversaire pour Anne.
30 juin Les nazis instaurent un couvre-feu à huit heures du soir pour tous les Juifs de Hollande.
5 juillet Margot est convoquée pour le travail obligatoire.
6 juillet Les Frank se réfugient dans l'Annexe secrète.
15 juillet L'Allemagne commence à déporter les Juifs en Pologne, au camp de concentration d'Auschwitz-Birkenau.
15 septembre Aux Pays-Bas, les étudiants juifs n'ont plus le droit d'aller à l'université.

1944
20 juillet Hitler échappe de peu à un attentat.
4 août L'Annexe est investie par les forces de police à la suite d'un coup de téléphone anonyme.
8 août Les Frank sont emmenés au camp de transit de Westerbork.
25 août Paris est libéré par les Alliés.
3 septembre Les Frank sont envoyés à Auschwitz dans un wagon plombé, dernier convoi à quitter Westerbork.
4 septembre Les troupes alliées entrent dans Bruxelles.
6 octobre Margot et Anne sont transférées au camp de Bergen-Belsen, en Allemagne.
1945
6 janvier Edith, la mère d'Anne, meurt à Auschwitz-Birkenau.
Février/mars Anne et Margot meurent du typhus à Bergen-Belsen, à quelques jours d'intervalle.
30 avril Hitler se suicide à Berlin.
7 mai Reddition de l'Allemagne.
3 juin Otto Frank rentre à Amsterdam où il retrouve Miep et Jan Gies.
1947
25 juin Première édition, chez Contact, du journal d'Anne (1 500 exemplaires).
1953
10 novembre Otto Frank épouse Elfriede Geiringer-Markovits et s'installe à Birsfelden, en Suisse.
1957
3 mai La Fondation Anne Frank est créée à Amsterdam.
1960
3 mai La maison où se sont cachées Anne et sa famille est transformée en musée.
1980
19 août Mort d'Otto Frank à quatre-vingt-onze ans.